A' Bhana-phrionnsa Màiri agus a' Phiseag

Do Lesley
A.M.

A' chiad fhoillseachadh sa Bheurla ann an 2013 le Nosy Crow Ltd.
The Crow's Nest, 10a Lant Street, London SE1 1QR

www.nosycrow.com

A' chiad fhoillseachadh sa Ghàidhlig 2014 le Acair Earranta
An Tosgan, Rathad Shìophoirt, Steòrnabhagh, Eilean Leòdhais HS1 2SD

info@acairbooks.com
www.acairbooks.com

An tionndadh Gàidhlig Norma NicLèoid
An dealbhachadh sa Ghàidhlig Mairead Anna NicLèoid

Tha Acair a' faighinn taic bho Bhòrd na Gàidhlig.

Fhuair Urras Leabhraichean na h-Alba taic airgid bho Bhòrd na Gàidhlig
le foillseachadh nan leabhraichean Gàidhlig *Bookbug*.

Gheibhear clàr catalog CIP airson an leabhair seo ann an Leabharlann Bhreatainn.

Clò-bhuailte ann an Sìona

LAGE/ISBN 978-0-86152-508-9

A' Bhana-phrionnsa Màiri agus a' Phiseag

Alison Murray

ACAIR

Is mise ise
Bana-phrionnsa Màiri,
'S a' phiseag dhòigheil –
Tè as fheàrr leam.
Thall a' fighe tha mo mhàthair,
Is mu coinneamh m' athair sàmhach.
Seall, a' phiseag ag iarraidh cluich,
Snàth mun mhionach is mun phluic!

Rinn a' phiseag às na deann,
Earball a' gluasad a-null 's a-nall.
Siud agaibh Màiri, ise cuideachd
Agus a' phiseag agus an cuilean.

An uair sin dh'fhosgail doras na cèids',
Iseanan a-mach 's a' sgèith!

Timcheall cathair òir an rìgh
Ruith a' phiseag leis an t-snàth,
An cuilean 's na h-iseanan às a dèidh –
Màiri crùbte air an làr.

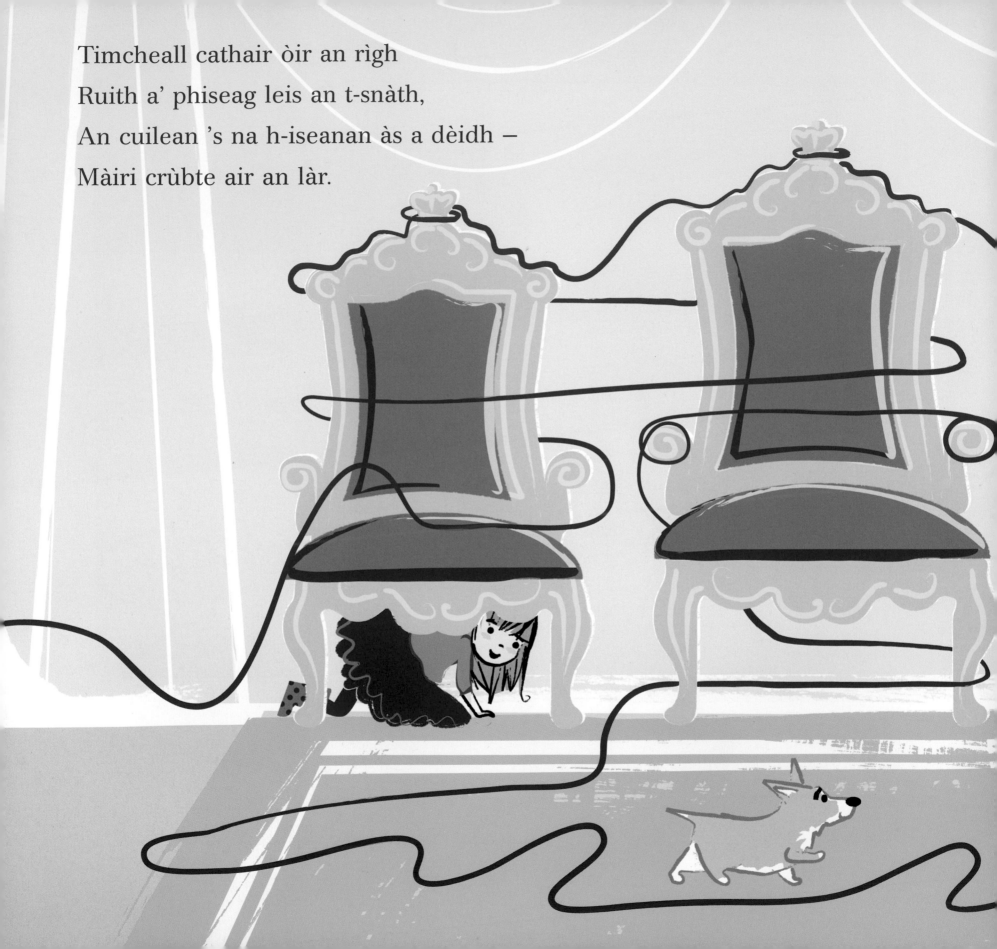

'Trobhad, trobhad,' thuirt an cuilean, ag èigheachd, 'càit a bheil thu? Fuirich …'

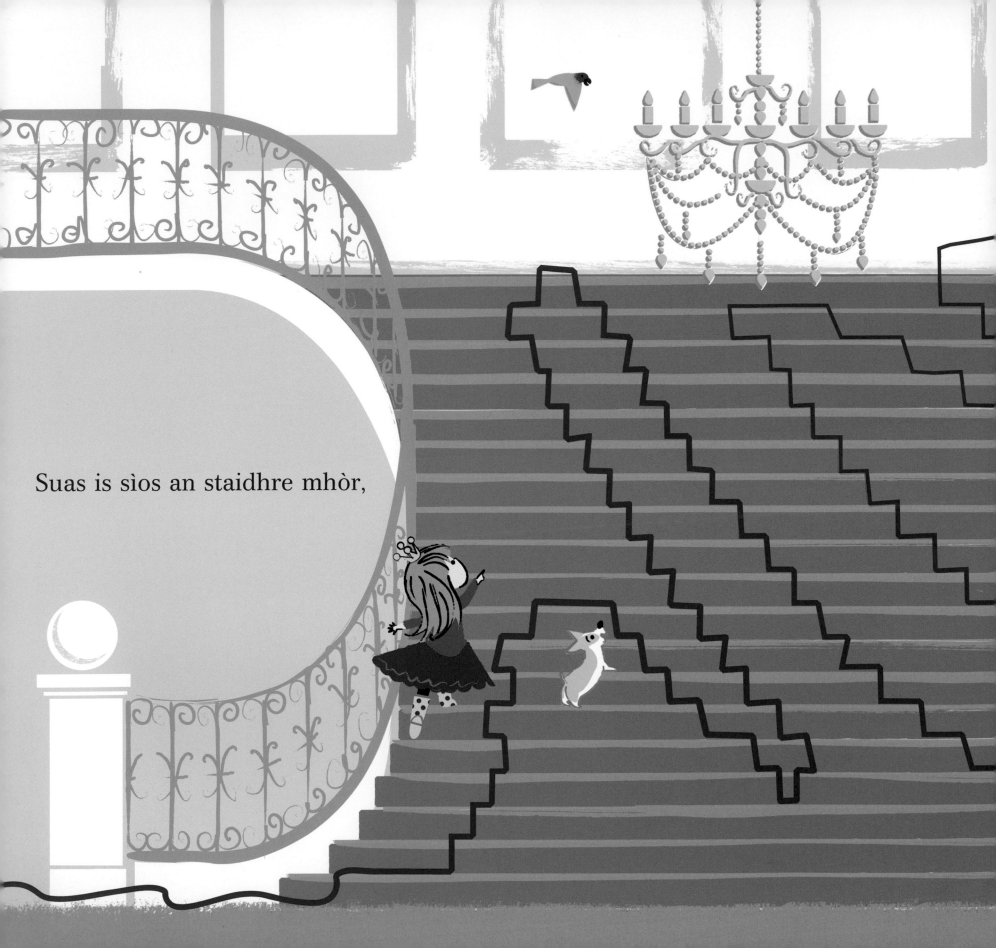

Suas is sìos an staidhre mhòr,

siud ise a-mach an doras-cùil.

A-mach le Màiri dhan an leas,
gun dad ach snàth 's an tuilleadh dheth …

Shuidh iad sìos is leig iad anail …

… ach siud a' phiseag 's i na cabhaig.

A-mach gu stàball nan each bàn',
Gach àite còmhdaichte le snàth.

'Thig air ais,' ghlaodh Màiri àrd,

'tha thu a' milleadh mo chuid snàth.'

Ach siud a' phiseag
a' dol seachad
air an leas chàil
's na craobhan spaideil.

A-nis a' dèanamh spòrs sa chidsin,

na sgeileidean a' leum 's a' buiceil.

An t-searbhant, bha i a-nis na h-èiginn,
am biadh 's an snàth an lùib a chèile.

'Sin thu!' arsa
bana-phrionnsa Màiri.
'Tha fios a-nis gu
dè bha ceàrr ort!'

''S ann a bha thu a' lorg do mhamaidh, cudail blàth is àite-cadail.'